Balthazar s'habille

Éditrice : Claire Cagnat
Conception graphique Raphaël Hadid - Mise en pages : Philip Garcia
© Hatier, 8 rue d'Assas, 75006 Paris, 2014 – ISBN : 978-2-218-98104-3
Tous droits de reproduction, de traduction et d'adaptation réservés pour tous pays.
Loi n°49 956 du 16 juillet 1949 sur les publications destinées à la jeunesse.
Dépôt légal : 98104 3 / 01 - juin 2014.
Imprimé en France par Clerc s.a.s. – 18200 Saint Amand Montrond

Marie-Hélène Place

Balthazar s'habille

Illustré par
Caroline Fontaine-Riquier

Hatier
jeunesse

C'est le matin,
Balthazar s'est levé.

Et Pépin aussi.

Balthazar a mis :
son beau sourire,
sa robe de chambre
et ses chaussons.

Et Pépin ?

Balthazar descend à la cuisine.
Que prend-il
pour son petit déjeuner?

Et Pépin?

œuf à la coque

fruits

chocolat chaud

tartine beurrée

lait

pomme

confiture

jus d'orange

beurre

pain

Balthazar s'habille.
Il met sa culotte,
ses chaussettes
et son bel habit bleu.

Et Pépin ?

Balthazar part à l'école.
Il prend son cartable.
Et comme il pleut, il prend aussi :
son grand parapluie,
son imperméable
et ses bottes.

Et Pépin?

À l'école,
Balthazar retrouve ses amis.
Il joue à colin-maillard avec
Martin,
Cassandre,
la maîtresse
et le yéti.

Pour ne pas être reconnus,
ils échangent leurs habits.

Martin

Balthazar

Cassandre

la maîtresse

le yéti

Oups !
Quelqu'un a oublié
de changer d'habits
avant de rentrer
chez lui en vélo.
Il a beaucoup trop chaud…

Qui est-ce ?

Dès qu'il rentre à la maison,
il jette la peau du yéti
et il saute dans la baignoire...

Avec qui ?

Et le yéti, lui,

attendit le retour de Balthazar
pour rentrer chez lui...